LUCIE **AUBRAC**

NON

AU **NAZISME**

"Ceux qui ont dit non"
Une collection dirigée par Murielle Szac.

Illustration de couverture : François Roca

Éditorial : Isabelle Péhourticq assistée de Fanny Gauvin
Directeur de création : Kamy Pakdel
Directeur artistique : Guillaume Berga
Maquette : Christelle Grossin
© Actes Sud, 2008, 2014 – 978-2-330-03468-9
Loi 49-956 du 16 juillet 1949 sur les publications destinées à la jeunesse

www.actes-sud-junior.fr

MARIA POBLETE

LUCIE AUBRAC
NON
AU NAZISME

ACTES SUD JUNIOR

Pour Alberto et Violeta qui, j'espère,
ne connaîtront jamais le fascisme.

1. Informer, c'est résister

– Vous souvenez-vous ? Nous avions été sacrément choqués !

– Mais oui, c'était affreux de le voir écrit noir sur blanc : "Les juifs et les chiens sont interdits" ! Quel plaisir d'avoir arraché cette affiche ! Dans cette brasserie enfumée de Clermont-Ferrand, les propos de Lucie Aubrac et de Jean Cavaillès sont passionnés. Ils parlent fort. Jean s'emporte. Il connaît bien l'Allemagne. Depuis sept longues années, Hitler y fait des ravages. Les juifs sont poursuivis.

Les enfants n'ont plus le droit d'aller à l'école, ils sont obligés de porter une étoile jaune.

Depuis deux mois, ils ne peuvent plus avoir de téléphone chez eux. En France aussi, ils sont maltraités. Ils sont exclus de certaines fonctions et, à l'université, un numerus clausus[1] de 2 % est imposé.

Lucie et Jean Cavaillès se sont connus à Strasbourg, en 1938, deux ans plus tôt. Elle avait un poste de professeur d'histoire-géographie au lycée laïc. Lui était professeur de philosophie.

Elle a aimé son franc-parler, son engagement – déjà. Une solide amitié les liait, renforcée par leurs idées communes progressistes, leur pacifisme, leur antinazisme et leur amour des chevaux. À l'époque, Lucie et Jean partaient faire de longues randonnées équestres dans la Forêt-Noire.

C'est la rentrée. Nous sommes en 1940 et la situation est tendue. Le pays est occupé. La

---

1. Numerus clausus : Quota imposé par le gouvernement du maréchal Pétain, qui limite le nombre de Juifs pour chaque profession (avocat, architecte...).

France est la seule nation à s'être dotée, sur son propre sol, d'un gouvernement qui reçoit l'approbation de l'Allemagne nazie. Après l'Armistice, Pétain et ses collaborateurs se sont installés à Vichy. La France est coupée en deux zones. La zone occupée par l'armée allemande au nord, la zone sud sous l'autorité du Maréchal.

– Les journaux racontent n'importe quoi ! s'énerve Jean. Il n'y a rien qui ne m'agace plus que d'entendre sans cesse parler de "zone libre". Il n'y a pas une once de liberté. Nous ne pouvons pas nous laisser faire. Nous devons tout mettre en œuvre pour combattre le régime de Vichy.

– Vous avez raison, renchérit Lucie, ce pantin fasciste est néfaste et dangereux. Je ne supporte pas de rester les bras croisés, à attendre que les Allemands nous méprisent davantage, nous avilissent. Ils finiront par nous démolir.

– On ne peut pas laisser faire ces gens. Il faut réveiller l'opinion ! s'exclame-t-il.

Lucie est en colère. C'est maintenant ou jamais :
elle ne peut pas rester comme ça, à attendre.

À la table voisine, des hommes chuchotent. Ils
parlent politique, eux aussi, mais plus discrètement. À la fin du repas, le plus grand de tous
les invite à rapprocher les tables et à boire le
café ensemble. Il y a là Emmanuel d'Astier de la
Vigerie, journaliste, Spanien, l'avocat de Léon
Blum, Georges Zérapha, membre de la Ligue
internationale contre l'antisémitisme, antinazi
farouche, et Jean Rochon, journaliste.

L'après-midi s'écoule en une longue discussion.
Ils se quittent en se promettant de se revoir et
de faire quelque chose. Oui, mais quoi ?

Lucie doit rentrer à Lyon. Demain, elle a cours.
Dans la micheline[2], elle pense à Raymond, son

2. Micheline : Autorail léger.

amour, son "jules" comme elle aime le nommer. Elle n'est pas tranquille. Il avait trouvé un emploi dans un cabinet de brevet d'inventions. Mais ils l'ont licencié du jour au lendemain... parce que juif. Une connaissance lui a promis un contact dans une entreprise qui participe à la construction du futur aéroport de Bron. Pourvu que ça marche !

Elle a hâte de le retrouver et de lui raconter cette fabuleuse journée. Le train fait un boucan d'enfer. Et ça remue ! Ça remue ! Nauséeuse, elle se croit sur un bateau. Lucie entre dans son deuxième mois de grossesse. Malgré les secousses, une irrépressible envie de dormir la plonge dans un profond sommeil.

Deux jours plus tard, jeudi, c'est congé pour les élèves – pour les profs aussi.

Emmanuel d'Astier de la Vigerie passe en début de soirée chez Lucie et Raymond. Il est rentré de Clermont-Ferrand plus vite que prévu. Les événements imposent de se retrouver. Il leur parle du groupe qu'il a fondé avec un aviateur. Ils l'ont nommé "La dernière colonne". La visite se transforme en réunion politique. Elle dure une partie de la nuit : le couvre-feu n'a pas encore été instauré.

— Nous ne pouvons pas avaler toutes ces fausses informations et les laisser circuler comme ça. Nous devons absolument réussir à faire passer d'autres nouvelles, les vraies. Nous devons renseigner les gens et leur dire ce qui se passe vraiment. C'est insupportable, lance-t-il.

Lucie s'emporte à nouveau. Elle a devant elle un quotidien qui annonce à la une le prétendu débarquement allemand en Angleterre.

— Que de sottises ! s'exclame-t-elle. Et le pire, c'est que les gens sont capables de croire ces horreurs. Les journaux sont censurés. Ils mentent comme des arracheurs de dents.

Les autres acquiescent. Lucie poursuit.

— On commencera par des petits papillons que nous collerons partout où ce sera possible.

Tout à l'heure, en passant sur les quais, j'ai vu quelques "V" de la victoire, dessinés au charbon de bois. Il y en a d'autres comme nous, à Lyon, qui n'ont pas baissé les bras. Lançons la mode ! Au charbon de bois, à la craie, peu importe. Il faut que l'ennemi sente que nous sommes nombreux, très nombreux !

– C'est vrai, il faut les bluffer !

Lucie est dans un drôle d'état : un état d'exaltation. Elle s'enflamme :

– Ça ne peut pas durer. Il faut aiguillonner tous ces gens. Mettons-nous au travail !

Rendez-vous est pris pour le surlendemain. Mais il faut faire attention. Les forces de l'ordre sont aux aguets. Il existe, au sein de la police française, des brigades spéciales chargées de rechercher les résistants, les opposants au régime de Vichy. Lucie et ses nouveaux amis ne sont qu'une poignée. Ils n'ont pas l'expérience d'une organisation clandestine ou la discipline du Parti communiste. Il faut apprendre à se comporter autrement, à mener une vie compartimentée, par tout petits bouts : des vies parallèles qui ne se recoupent pas.

Pour l'instant, leur objectif est de recruter, toujours plus. Dans leur groupe d'amis, chacun essaie, parmi ses proches, sur son lieu de travail, chez ses voisins, de recruter de nouveaux volontaires... D'abord tâter le terrain, engager la conversation au sujet de tout et de rien, pour sonder l'interlocuteur... puis discuter et convaincre. Il faut être prudent, bien sûr. On ne sait jamais. Les trahisons sont nombreuses, les gens peuvent parler ! On se quitte en rappelant une dernière fois les consignes de sécurité.

Lucie et Raymond retrouvent le calme de la maison. Lucie a l'impression de déplacer grain de sable après grain de sable. "Les grains de sable deviendront des montagnes, j'en suis sûre", songe-t-elle.

– J'ai su, ma Lulu, que les camps de regroupement s'emplissent à vue d'œil.

– Oui, j'en ai entendu parler dans la queue chez le boucher ce matin. Les gens parlent un peu, les femmes en ont marre aussi : les magasins sont vides, on n'arrive plus à nourrir nos petits... C'est très simple, il y a dans la vie des choses que l'on peut accepter, et d'autres non. Tout ce qui arrive en ce moment est inacceptable !

(Lyon, mars 1941)

Le groupe monté par Emmanuel d'Astier, "La dernière colonne", n'existe plus. Le nouveau groupe, baptisé "Libération-sud", a besoin d'argent pour acheter du papier pour les tracts, louer des chambres pour planquer les copains de passage à Lyon. C'est un envoyé du général de Gaulle, celui qui tente d'organiser la

Résistance depuis l'Angleterre, qui renfloue les caisses du mouvement. L'envoyé s'appelle Yvon Morandat. Grâce au soutien de Londres, le mouvement change d'échelle. De toute façon, les tracts ne suffisaient plus. Il faut monter un journal. Il s'appellera *Libération*. Il permettra aussi de faire de nouvelles recrues.

Lucie a dans les mains le numéro du 2 août 1941. Tout à l'heure, elle en oubliera quelques exemplaires à la poste, elle en glissera un ou deux dans des casiers de professeurs au lycée. Le message est très clair. Le régime de Vichy y est condamné sans appel :

"Après avoir vu notre armée s'effondrer aussi vite, aussi complètement que le moindre des petits États [...] nous avons vu rayer notre République, renier notre parole. Un maréchal livre notre empire morceau par morceau [...] Il laisse se dérouler la plus grotesque, la plus odieuse des comédies que l'on ait jamais vues. Il déshonore le pays par des lois infâmes, un statut des

Juifs, les camps de concentration, la légion des mouchards."

Mlle Laru est la directrice du lycée depuis un mois. Nommée par le gouvernement de Vichy, elle est la deuxième remplaçante de Mme Brunschwig, une physicienne qui avait autrefois travaillé avec Marie Curie comme laborantine. Le renvoi de Mme Brunschwig, en vertu du nouveau statut des Juifs, révolte Lucie et les autres professeurs.

Chignon serré, tailleur gris anthracite, l'air toujours pincé, Mlle Laru sait pourquoi elle a été nommée là. Elle remplace... la remplaçante jugée trop laxiste par les autorités. Et elle ne compte pas se laisser faire. Elle accumule les rapports contre quelques enseignants qu'elle juge trop "communistes". Elle ne se cache d'ailleurs pas et répète à qui veut l'entendre qu'elle aimerait bien avoir leur peau. Ce qu'elle ne sait pas, Mlle Laru, c'est que l'inspecteur d'académie couvre ces profs trop rebelles.

Ce matin, la directrice décortique minutieusement le certificat médical que sa secrétaire vient de poser sur son bureau. Mme Samuel[3], l'une des trois professeurs d'histoire-géographie, doit s'absenter. Le médecin lui a prescrit une mise au repos de deux semaines. Mlle Laru épluche le contenu du dossier médical : radios, traitements, certificat témoignant de la guérison de l'ancienne tuberculeuse.

"Dommage qu'elle ne soit pas contagieuse, sans quoi je ne me serais pas gênée d'en informer l'inspecteur et d'en profiter pour la faire mettre dehors, songe-t-elle. Elle me cause du souci, celle-là."

Dans le dossier de Lucie figure en bonne place la lettre qu'elle avait signée, avec d'autres profs, dans laquelle ils déclaraient refuser d'accompagner les élèves, l'année dernière, à l'exposition itinérante sur la grandeur du nazisme.

---

3. C'est le nom de femme mariée de Lucie Aubrac.

Le dossier médical de Lucie est "costaud". Outre son passé de tuberculeuse, il comporte des résultats d'analyse attestant d'une grande fatigue due à sa deuxième grossesse et à une sérieuse tendance à l'anémie. Bien entendu, tout cela est faux. Le médecin complice, c'est le docteur Riva. C'est lui qui suit Boubou (le surnom de Jean-Pierre, le fils de Lucie) depuis sa naissance. Il a très bien compris ce que fait Lucie.

Elle allaitait encore Boubou lorsque le bon docteur lui avait apporté un nouveau-né affamé. Ses parents, juifs allemands prévenus juste à temps d'une visite de la police, n'avaient pu l'emmener dans leur fuite. Lucie l'avait nourri jusqu'à ce qu'on le remette à ses grands-parents.

C'est aussi le docteur Riva qui fournit les médicaments, les blouses, les stéthoscopes et les certificats "bidon" pour quelques-unes des missions de la Résistance ! C'est aussi lui qui, parfois, reste disponible, caché quelque part, en

cas d'opération spéciale d'un groupe de camarades.

Lucie peut s'absenter. Mlle Laru signe le congé.
Elle n'a pas le choix de toute façon. Et puis, elle
ne veut pas d'esclandre. Pas de remous. Pas de
problème.

Lucie doit partir pour Bordeaux, rencontrer
deux anciennes collègues qu'elle espère recruter comme nouvelles "boîtes aux lettres".

Le mouvement a besoin, de toute urgence, de
personnes par lesquelles on pourra faire tran-
siter des courriers à destination des sympathi-
sants bordelais. Mission accomplie : Ginette
et Madeleine acceptent de jouer les boîtes aux
lettres. Elles se sont engagées à trouver ensuite,
à leur tour, d'autres amis complices suscep-
tibles de les seconder en cas de pépin.

2. Les vies parallèles

Lucie enfourche son vélo. L'une de ses sacoches est réservée à ses cours. L'autre sert à charrier les aliments trouvés çà et là.

(Montceau-les-Mines, mai 1920)

Elle ne circule qu'à vélo, depuis qu'elle tient sur les deux roues. Le vélo a toujours été pour elle un formidable instrument de liberté. Quand elle était enfant, du côté de Montceau-les-Mines où ses parents s'étaient installés comme maraîchers, c'était le moyen de locomotion le plus simple pour aller à l'école. C'était aussi le moyen le plus sûr de s'en évader ! Lucie aimait l'école. Elle savait que ce serait grâce à celle-ci – sa mère ne cessait de le lui répéter – qu'elle aurait un bon métier.

Mais ces bonnes dispositions ne l'empêchaient pas d'avoir envie de s'en échapper. Cela lui arrivait même régulièrement. Elle dégonflait un pneu et arrivait en retard, après avoir longuement musardé. Elle aimait sentir le vent de cette chère liberté. Elle aimait voir à quoi ressemblait le monde au moment précis où elle n'aurait pas dû être là.

Ce matin, en roulant vers son lycée, elle pensait à sa maîtresse. La dernière fois, à cause de ce pneu dégonflé (par Lucie elle-même !), l'institutrice l'avait même laissée partir en avance avant la fin de la classe, pour que ses parents ne s'inquiètent pas. Une autre fois, elle lui avait donné de quoi réparer la chambre à air.

(Lyon, janvier 1943)

Cette chère liberté, Lucie y tient. Et dans la France occupée par les Allemands, elle la défendra bec et ongles.

Avant d'entamer le trajet vers la place Edgar-Quinet, ses yeux ne peuvent se détacher d'une affiche, un appel à la population placardé par la préfecture régionale de Lyon. Elle pose son vélo et lit :

"Un nouvel attentat très grave vient d'être commis dans l'agglomération lyonnaise contre les troupes d'opération. Vingt-cinq soldats allemands ont été blessés ce matin par un engin explosif qu'a lancé un cycliste... Des arrestations ont été opérées. J'ai décidé d'appliquer les mesures suivantes : 1) Tous les établissements publics (cafés, théâtres, cinémas...) seront fermés à 19 h 30. L'arrêt des tramways se fera à la même heure. 2) Toute circulation sera interdite sous peine d'arrestation, de 20 h à 6 heures.

Je demande (...) à la population de conserver son calme et son sang-froid. Je compte que, par tous les moyens en son pouvoir et comme l'exige la loi, elle aidera la police à découvrir le ou les auteurs de l'attentat. Lyon, le 25 janvier 1943. Signé Angeli. Le préfet régional."

Lucie n'en croit pas ses yeux. Elle a la nausée. Elle ne veut pas imaginer que des citoyens français soient capables d'en dénoncer d'autres. Quelle horreur ! Et puis ce couvre-feu... Ce soir, il faudra se dépêcher de rentrer à la maison. Il faut aussi qu'elle passe chez un ami. Une réunion devait avoir lieu demain soir. La chaîne d'annulation doit être lancée au plus vite. Une autre date doit être trouvée...

Encore sous le choc, elle entre dans sa classe. Parmi ses élèves, il y a de nombreuses étudiantes juives, dont quelques-unes arrivées récemment de l'étranger. Ces étudiantes-là, elle a envie de les chouchouter plus que les autres. Elle sait bien que leur vie n'est pas facile. Pétain a accepté d'arrêter et de livrer aux nazis les étrangers d'Europe centrale et d'Allemagne qui ont fui leur pays devenu fasciste pour se réfugier en France. "Quel déshonneur pour notre pays !" pense la jeune prof, avant d'entamer son cours de géographie sur les ressources naturelles.

En regardant ses élèves, elle se souvient de l'adolescente qu'elle a été. À l'époque, ses parents voulaient qu'elle intègre l'école d'institutrices et son internat où les jeunes filles sont toutes en uniforme. Lucie avait d'autres ambitions. D'abord, elle détestait les uniformes ! Et puis elle voulait passer le baccalauréat, se lancer dans des études universitaires, devenir professeur dans un lycée. C'est donc contre l'avis de ses parents qu'à dix-sept ans elle "monta" à Paris et intégra l'École normale supérieure.

À Paris, elle obtint une bourse pour un voyage en Allemagne. C'était en 1929. Elle y découvrit un grand mouvement de refus de la guerre.

Sept ans plus tard, en 1936, c'était l'année des Jeux olympiques et ceux-ci avaient lieu à Berlin. Alors étudiante, elle y avait été invitée.

Elle vit Hitler, à la tribune, de plus en plus furieux à mesure que Jesse Owens, le coureur et sauteur en longueur noir américain, remportait des médailles d'or ! Une, deux, trois... À la quatrième, le Führer claqua et tourna les talons. L'antisémitisme nazi révulsait Lucie. Là-bas, en Allemagne, il lui arrivait même parfois de raconter qu'elle était juive. Simple provocation...

Elle pense à ses étudiantes. Elle se sent responsable d'elle. Elle a le sentiment que son rôle est de les protéger... tout en les ouvrant au monde. Ce matin, lors du cours sur les ressources du pays, elle ne se gêne pas pour évoquer les ressources naturelles et humaines dévorées par les occupants. De là, elle glisse vers la chute de la République. Elle explique que la France est passée de l'esclavage à... l'esclavage !

Mais entre-temps, les Français ont été des sujets avec des cartes d'électeurs... Ses élèves ont toutes un frère, un oncle, un voisin, un ami parti s'engager au Service du travail obligatoire. Ou qui a annoncé qu'il partait au STO. Ce que Lucie ne leur dit pas, c'est que les mouvements de résistance, dont "Libération-sud", aident les réfractaires à déserter. En fait, ils s'engagent dans les maquis[4], intègrent les mouvements ou s'incorporent aux groupes francs[5].

On l'appelle Claire Meunier. Son vrai nom, c'est Judith Cohen. Elle a été recrutée par Pierre, le chef du service des faux papiers du mouvement de "Libération-sud". Au début de cette année, elle a été envoyée à Lyon par un responsable du mouvement "Libération-nord". Elle se sait

4. Maquis : Lieu retiré où se cachaient des groupements armés de Résistants. Par extension, on appelle "maquis" les groupes d'hommes menant des actions de guérilla contre l'occupant.
5. Groupes francs : Groupes de jeunes gens spécialisés dans l'action immédiate : lacération d'affiches, diffusion de tracts, missions de protection, évasions, sabotages.

recherchée par la Gestapo, à Paris. Soigneuse, elle a étudié le secrétariat. Juive, elle a, à plusieurs reprises, changé d'identité. La première fois, c'était au moment où une loi du gouvernement de Vichy, en décembre 1942, décidait que la mention "juif" devait figurer sur la carte d'identité. Elle est désormais permanente dans le service des faux papiers. Et elle se débrouille très bien.

Pierre-des-faux-papiers présente Claire à Lucie, pensant qu'elles s'entendront bien. Le même bagout, la même capacité à la débrouille, le même amour des mots et de la poésie. Claire passe de temps en temps avenue Esquirol, chez Raymond et Lucie à Lyon. Elle aime cette ambiance familiale, la chaleur du foyer. Sa famille à elle est complètement disloquée : deux frères emmenés dans un convoi vers une destination inconnue, une sœur portée disparue, les parents partis se réfugier dans le Sud-Ouest...

Lucie et Raymond reçoivent beaucoup à la maison, des amis comme des inconnus. Lyon fait alors figure de capitale de la Résistance : on y vient de Clermont-Ferrand, de Marseille, de Toulouse. De nouveaux cercles de copains se constituent. On y échange des informations, on se donne des raisons d'espérer.

À cette époque, on est tenu de posséder des papiers en grand nombre : cartes d'identité et de rationnement, tickets pour les tissus, les vêtements, les chaussures, l'essence, certificats médicaux, d'exemption de travaux forcés, laissez-passer indispensables pour franchir la ligne de démarcation[6]. Claire a du travail. La demande en faux papiers augmente avec le nombre de résistants qui entrent dans la clandestinité et de ceux qui veulent se soustraire au travail obligatoire. Il faut connaître les villes bombardées en 1940 par l'aviation allemande et dont les archives d'état civil ont été détruites. Elles sont souvent

6. Ligne de démarcation : Sur près de 1 200 km, elle sépare la zone occupée de la zone libre.

choisies comme lieu de naissance. Les tuyaux ?
Ils sont donnés par des employés de préfecture.
Le service dispose d'un vaste fichier d'identités de gens partis à l'étranger, prisonniers de
guerre, Français partis en Algérie ou en Tunisie. Les identités sont fausses mais elles ont
des couvertures légales, avec toutes les cartes
d'alimentation, de textile, de tabac qui vont
avec. Les actes de naissance, les fausses fiches
de démobilisation et un certificat de domicile
permettent d'obtenir dans les mairies le jeu
complet des cartes de rationnement et de vraies
cartes d'identité dans les commissariats.

La consigne est toujours la même : en cas de chan-
gement de nom, il faut brûler tous les papiers précédents, y compris les cartes de ravitaillement.

Pierre-des-faux-papiers a réuni une quantité
impressionnante de modèles de cartes, de
laissez-passer, de tampons de mairies et de
commissariats. Ce soir, Claire termine de pré-
parer un jeu complet pour un jeune homme

qui vient à peine d'être recruté par un groupe franc. Elle fouille dans une énorme caisse contenant des tampons de toutes sortes. Ça y est, elle a trouvé. Il aura une carte de policier. C'est parfait !

Dans la maison de l'avenue Esquirol, on ferme les volets et les fenêtres (même en été, et tant pis si on étouffe là-dedans !). Inutile de tenter le diable et d'inciter un voisin un peu trop zélé à les dénoncer. Elles sont bien payées, les délations, en ce moment. Il est 21 h 30. Ils ont l'oreille collée au poste. Le brouillage des Allemands ne cesse pas. Ah, ça y est, on entend, enfin. C'est l'heure de la BBC. Lucie et Raymond prennent des notes pour un futur article.

La Résistance prend une autre tournure : tous ces jeunes gens qui préfèrent ne pas s'enrôler au STO, il faudra bien les héberger, les nourrir, les encadrer et même les armer ! L'organisation des maquis est une entreprise très décentralisée. Il faut aller voir sur place comment tout cela s'installe.

– Ma Lucie, on a du travail ! lance Raymond. Maurice et Serge ne devraient pas trop tarder à me donner des nouvelles. Ils sont partis faire une petite tournée dans les montagnes.

La réunion doit avoir lieu dans un local de la rue de l'Hôtel-de-Ville. Quand Raymond sonne à la porte, c'est un inspecteur de police qui l'accueille, pistolet en joue. Dans la salle à manger, Maurice Valrimont, l'un de ses adjoints, l'attend sous la garde d'un autre policier. Coup de sonnette. Apparaît Serge Ravanel, l'autre adjoint de Raymond, tenu à bout portant par le flic. Interrogés, ils ont des papiers parfaitement en règle. Ils sont arrêtés pour marché noir[7]. Raymond est, pour la police, François Vallet. Il habite rue Sainte-Clotilde. D'ailleurs il a la clé dans sa poche. La perquisition à son faux

7. Marché noir : Marché parallèle qui s'est instauré durant l'Occupation en raison du rationnement imposé. On y achète (très cher) des biens difficiles à trouver.

domicile donne des résultats : quelques kilos de sucre y étaient planqués. Les voilà emprisonnés à la prison Saint-Paul, mais la police ne sait pas qu'elle a coffré trois responsables de l'Armée secrète du mouvement Libération, dont Raymond, adjoint du général Delestraint, chef de l'Armée secrète !

À quelques pas de là, Lucie apprend que son amour a été arrêté pour marché noir.

Enfin prévenu, un ami avocat dépose le jour même une demande de mise en liberté provisoire, normale pour un motif d'inculpation aussi mineur.

3. Le culot de Lucie

Les consignes sont claires. En cas d'arrestation, il faut changer toutes les boîtes aux lettres, les mots de passe, vider les abris, chercher de nouvelles planques, permuter les agents de liaison et changer les pseudos.

Raymond a été arrêté hier. Lucie accourt à la Croix-Rousse, dans le logement de repli de "François Vallet". Elle range tout, les vêtements, les affaires de toilette, les draps. Elle prend aussi avec elle un recueil des lettres choisies de Mme de Sévigné. Raymond s'en sert pour coder ses messages et ses rapports. Un code inviolable !

Elle file chez Claire, puis chez son cousin Maurice. Il faut absolument que le plus de personnes possible soient prévenues. Un copain passera cet après-midi détruire la boîte aux lettres de Raymond. C'est simple : un coup de marteau dans la boîte et c'est le signal que celle-ci est grillée !

Quelques jours passent. Lucie se rend à ses cours comme si de rien n'était. Mais avant d'aller au lycée, elle doit passer à la morgue. "Je vais tenir bon, je vais tenir bon", se dit-elle en roulant. Ce matin, pour la troisième fois en une semaine, elle se rend à l'institut médico-légal. Des employés disposent d'appareils avec lesquels ils photographient les cadavres, ceux d'hommes abattus dans la rue par la Gestapo. Les clichés servent à les faire identifier par les femmes, les mères, les proches.

"Respire, souffle doucement par le nez. Allez, il faut y aller." Lucie respire à fond et serre les poings.

Non, Raymond n'a pas été emmené ici. Cela signifie qu'il est – peut-être – encore en vie.

Elle porte un chemisier blanc à fleurs et un petit chapeau mauve. Elle est impeccable. Elle a trouvé l'adresse personnelle du procureur de la République. Un véritable collaborateur, à quatre pattes devant les Allemands. Lucie découvre qu'il est aussi un lâche et un froussard.

À 13 heures, elle a écouté à la BBC la liste des messages personnels. L'un d'eux a retenu son attention : "Continuez de gravir les pentes." Il est possible qu'il soit rediffusé le soir, à 21 h 30. Possible mais pas sûr. Tant pis, elle y va ! Assurée et tranquille.

Elle débite son histoire devant le procureur, sans une pause, sans même reprendre son souffle :

– Vous avez en prison un homme qui s'appelle François Vallet. Vous avez, à deux occasions, refusé de signer sa mise en liberté provisoire. Je représente l'autorité du général de Gaulle, c'est le chef de Vallet. Si demain, au palais de justice, vous ne signez pas favorablement, si le 14 mai au matin, Vallet n'est pas libre, vous ne verrez pas le soleil se coucher le 14 mai au soir. J'authentifie ma qualité : ce soir, écoutez pour une fois la BBC ! Parmi les messages personnels, vous entendrez celui-ci : "Continuez de gravir les pentes." Il vous est destiné. N'oubliez pas : "Continuez de gravir les pentes."

Le procureur bredouille un vague "Oui, madame" presque inaudible. Il sent de grosses gouttes de sueur glisser dans son cou.

Encore tremblante, Lucie enfourche son vélo. Direction la maison.

De rage et de tristesse, de toute la colère bue, elle a envie de hurler. Son amour en prison, ses camarades enfermés, et personne, à part Claire, à qui parler. Mais elle ne doit pas trop la charger, son amie. Moins on en sait, mieux c'est !

"Il faut que je sois forte, il ne faut pas que je sois un poids pour eux, il faut que je leur démontre que ce n'est pas parce que je suis une femme et une mère de famille que je ne suis pas capable !" La journée a été rude et éprouvante. Maria, la nounou de Boubou, est à la maison.

– Votre amie Claire est passée. Elle m'a dit qu'elle faisait une course et qu'elle revenait.

Claire arrive.

– Sous le pont Mirabeau... crie l'une.

– ... coule la Seine ! répond Lucie à travers la porte.

On peut ouvrir. Ce soir, Claire restera dormir chez son amie. Demain, elle quittera tôt la maison. Elle doit déposer un courrier.

Lucie évoque son amour pour Raymond. Elle raconte ce jour du 14 mai 1939 où il est venu la chercher au lycée où elle enseignait, à Strasbourg.

– Nous avons ressenti l'un pour l'autre un amour total, pas seulement un coup de foudre ! Plus encore ! Nous nous sommes juré, tant que nous vivrions, d'être toujours ensemble les 14 mai.

21 h 30, l'heure de la BBC. "Continuez de gravir les pentes." Le message passe.

Lucie ne parle pas de son entretien avec le procureur. Elle préfère tenir son amie à l'écart. Trop risqué. Cette nuit-là, elle ne fermera pas l'œil.

Le lendemain, c'est à l'aube qu'elle commence à guetter à sa fenêtre. Elle voit bientôt arriver Raymond.

Il a hâte de se laver, de se lover dans ses bras et de parler, parler ! Il a deux mois à raconter. Il décrit la prison Saint-Paul. Arrêtés par la police française, ses trois camarades et lui ont aussi été interrogés par la Gestapo.

— Mais comment est-ce possible ? Des policiers français, de vrais fonctionnaires, pas des fascistes de la milice, obéissent aux Allemands ! C'est inconcevable que les agents français acceptent de livrer des Français dont l'affaire est instruite par la justice française !

Lucie est furieuse. Elle s'emporte. Elle explose. Elle sait pourtant que Vichy et Hitler collaborent les yeux fermés. Mais elle le vit dans sa chair. Non, franchement, ça la révolte.

Ce matin, elle n'a classe qu'à 10 heures. Elle a le temps de passer chez Pierre-des-faux-papiers. La veille, Claire lui a dit que les nouveaux documents d'identité de Raymond seraient prêts dès qu'il serait libéré.

– Claude Ermelin, célibataire, fils unique né à Sedan, rapatrié en avril de Tunisie où il était militaire jusqu'à l'arrivée des Anglo-Américains. Voilà son titre de démobilisation. Vérifiez bien les automatismes de mémoire de Raymond avec sa nouvelle identité. Contrôlez son linge, les initiales éventuellement brodées, les marques de tailleurs et de teinturiers. Quant aux papiers précédents, brûlez-les tout de suite. Pas de blague ! Même les cartes de ravitaillement, de tabac et de textile !

Lucie tient serrés contre elle les nouveaux papiers. Elle espère qu'ils permettront à Raymond de se tenir relativement éloigné du danger. Depuis maintenant trois semaines, il navigue de cachette en cachette. Sa liberté provisoire signée par le procureur a fini par éveiller les soupçons. Raymond est recherché partout. Il est urgent de devenir un autre.

4. Spécialité : les évasions

En guise de gros bras, Lucie dispose d'un groupe franc créé il y a deux mois. C'est suite à une tentative d'enlèvement ratée – et qui a produit une série d'arrestations – que le mouvement a décidé de s'adjoindre l'assistance de jeunes gens entraînés, préparés à l'action. Ils reçoivent quelques leçons de maniement d'armes et sont activement préparés aux batailles de rue. Ce sont des spécialistes de l'évasion. Libérer les camarades des griffes de l'ennemi, c'est leur truc.

Lucie dirige les opérations sur le terrain. Pour les dix gars de son groupe franc, elle est et restera Catherine, son nom de guerre.

"J'ai peur, songe Lucie, mais je sais que nous allons y arriver, je ne peux pas savoir les copains au fond des geôles gestapistes."

Les horreurs infligées aux Juifs l'effrayent. La semaine dernière, une de ses élèves, la petite Lehmann, a cessé de venir au lycée. Personne ne sait ce qu'elle est devenue. Une de ses amies de classe s'est rendue chez elle. Personne n'a répondu, la boîte aux lettres déborde de courrier et les volets sont fermés. Que se passe-t-il ? Que nous arrive-t-il ? Lucie ne veut pas s'effondrer. Pour l'heure, la colère l'emporte encore sur la peur.

Hier elle a réussi à faire transférer en bloc les trois camarades arrêtés avec Raymond de la prison à la section disciplinaire de l'hôpital de l'Antiquaille. C'est le docteur Riva qui l'aide à se procurer les médicaments.

Une substance qui produit de très fortes fièvres a été introduite dans des friandises. Un gardien complaisant leur a fait passer les bonbons.

Cette action deviendra sa marque de fabrique, le signe de son savoir-faire. D'ailleurs, elle l'a décidé ainsi, Lucie. Puisqu'elle ne se débrouille pas si mal, elle ne fera plus que ça : orchestrer des évasions. Règle n° 1 : très bien monter ses coups. Règle n° 2 : ne rien laisser au hasard !

Saint-Étienne, septembre 1943.

Trois nouveaux camarades se retrouvent en prison à Saint-Étienne. Grâce aux "bons" médicaments du docteur Riva, Lucie les envoie à l'hôpital.
Mais voilà, l'hôpital est surveillé par la Gestapo. Lucie entre dans l'imposante bâtisse, mine de rien. Un peu comme si elle était chez elle. Elle se rend aux toilettes, enfile la blouse blanche que son ami lui a procurée, place le stéthoscope autour de son cou et se dirige naturellement vers une des salles de médecine générale. À son passage, les infirmières la saluent !

Elle s'approche d'un lit, vérifie la courbe de température, la date d'entrée, le diagnostic, les traitements. Ainsi, s'il y a besoin, elle sera familiarisée avec ces feuilles. Pendant une semaine, elle revient, répète les mêmes gestes, salue médecins et aides-soignantes. Et les gens s'habituent à sa présence. C'est le troisième jour qu'elle repère le pavillon, au premier étage, où sont gardés ses camarades. Elle a relevé les noms mentionnés sur les feuilles : ce sont les identités des détenus, les noms que connaît la Gestapo et qu'ils demanderont à l'administration.

Stéthoscope autour du cou, elle se penche sur le dos et la poitrine de chacun.

– Nous viendrons vous chercher demain ou après-demain, comme pour un interrogatoire de la Gestapo. Tenez-vous prêt. Jouez votre rôle... mais laissez-vous faire quand même !

Le jour J, dans leur lit, les trois amis attendent Lucie.

Le groupe franc peut opérer. C'est Lucie, alias "Catherine", qui a tout organisé. Mais cette fois, elle reste dans la traction, stationnée devant l'entrée de l'hôpital, à les attendre.

C'est parti. Les trois hommes du groupe franc entrent brutalement dans la chambre, suivis d'un infirmier et du directeur... qui tente de s'opposer à leur arrestation.

– Police allemande, habillez-vous ! C'est pour un interrogatoire !

– Messieurs, ce sont des malades qui m'ont été remis par les services sanitaires de la prison Saint-Paul. Je ne peux pas les lâcher !

– Vous, taisez-vous !

Deux heures plus tard, Lucie et Claire se retrouvent devant un café fait d'une mixture étrange.

– Alors, raconte !

– Tu ne peux pas imaginer comme je suis contente d'avoir réussi ce coup-là. Je ne savais pas, jusqu'à la dernière minute, si le médecin allait les laisser partir. Il est des nôtres, lui, c'est sûr. S'il savait !

– Ça fait tellement du bien au moral, une évasion ! Malgré la mainmise de la police vichyste et allemande, ça montre quand même la cohérence des mouvements de résistance !

– C'est vrai, les gars du groupe franc ont bien bossé ! Ils sont devenus très forts, rapides et malins !

– Allez, buvons cet infâme breuvage à leur santé !

Le couvert est mis. Il n'y a pas grand-chose à manger aujourd'hui. Maria, la nounou de Boubou, a fait une soupe très claire avec des rutabagas, agrémentée de quelques brins d'estragon, et une salade de pissenlits.

– Il vous faudrait quand même un peu de protéines, sinon, dans votre état, vous allez trop vous fatiguer.

– Oui, je sais, on vit un véritable esclavage. Ils sont en train d'affamer la population. Je te promets, Maria, de faire le tour des épiciers pour voir s'ils n'ont pas un peu de sucre. Comme ça, je préparerai un petit gâteau. Il reste un œuf d'hier. Ne t'inquiète pas, ça va aller. La semaine prochaine, nous irons visiter ma tante Jennie à Besanceuil. On devrait pouvoir acheter à un prix raisonnable un lapin, de la crème, quelques œufs et peut-être même un peu de charcuterie ! Maria est inquiète. Lucie est enceinte de deux mois et Boubou n'a que deux ans : tous les deux ont des besoins importants en nourriture.

Avec un peu de chance et de temps, Lucie réussira à obtenir quelques bouillons Kub et du sucre... Normalement, ses tickets de rationnement, les K8, lui donnent droit à 250 grammes de sucre supplémentaires en tant que femme enceinte... tout comme les adolescents et les travailleurs de force.

5. Les griffes de la Gestapo

(Caluire, juin 1943)

19 heures. Place Tolozan, au pied des pentes de la Croix-Rousse, non loin des quais du Rhône. Raymond n'est pas au rendez-vous. C'est inquiétant. "Nous ne sommes jamais en retard", pense Lucie. Par principe, on a appris à être ponctuel. Face à la police allemande et à la milice qui, elles, sont devenues expertes, il le faut ! C'est trop dangereux de faire le planton au milieu de la rue par les temps qui courent.

Lucie file chez son cousin Maurice. Il sait déjà ce qui vient de se passer, c'est un voisin qui l'a prévenu :

– La Gestapo a fait une descente chez le docteur Dugoujon, à Caluire, ils les ont tous embarqués ! La réunion de Caluire était importante. Ils en avaient parlé la veille, avec Raymond. Après l'arrestation, il y a quinze jours, du général Delestraint, chef d'état major de l'Armée secrète, la direction devait être entièrement réorganisée. Jean Moulin, alias "Max", l'envoyé spécial de de Gaulle, a proposé à Raymond l'inspection générale de la zone nord. Raymond n'est pas connu dans ce coin et Lucie peut facilement obtenir un poste de professeur à Paris.

– Tu parles, lui avait dit Raymond, tous les profs hommes sont mobilisés !

Lucie avait accepté :

– D'accord pour Paris, nous nous engageons l'un et l'autre, jusqu'au bout et pour gagner.

Lucie tente de reprendre ses esprits. Maurice est là, devant elle. C'est la première fois qu'elle le devine inquiet.

– C'est affreux, Maurice !

– Ne t'en fais pas, ma petite Lulu, on va les sortir de là. Je te le promets.

Il ne faut pas perdre de temps. Vite, vider les planques, prévenir les copains et surtout savoir où ils ont été emmenés. Lucie est folle de rage. Elle part prévenir Bertrand, un copain agent de liaison. D'abord, elle rôde un moment autour de la maison. Le réparateur de vélos n'a pas mis le signal "danger" : un tricycle sur le trottoir. Elle entre. Son cœur bat la chamade. Son exaspération est telle qu'elle n'a pas le temps de s'effondrer.

Elle rassemble quelques affaires, les emballe dans le premier journal venu – pas *Libération*, ça ne risque pas : jamais aucun exemplaire n'a passé plus de deux heures chez eux, trop dangereux. Puis elle enfourche son vélo, direction la prison de Montluc. À l'entrée, elle dépose son colis au nom de Claude Ermelin. Quinze minutes plus tard, elle reçoit du linge en retour ! Sur la page des mots croisés du journal, Raymond a rempli des cases. On y lit : "maxwell". La conclusion est facile à tirer : ils sont là, au fort de Montluc, ils sont en vie, Max va bien.

Rentrée à la maison, elle ne parvient pas à dissimuler son inquiétude. Dans la cuisine, les vitres des fenêtres sont couvertes de buée. La bouilloire fume sur la gazinière.

– Que se passe-t-il ? Vous avez l'air fatiguée ! demande Maria.

– Le début de la grossesse me fatigue toujours, répond Lucie.

Un instant, elle hésite.

– Il faut que je te dise que Raymond est parti aujourd'hui à Londres, rejoindre le général de Gaulle. Il sera plus utile là-bas. Demain, j'irai déposer Boubou dans une maison pour enfants à la campagne.

– Vous avez raison, le grand air va lui faire du bien. Et puis il mangera mieux ! Pour votre

mari, ne vous en faites pas : il reviendra bientôt ;
cette sale guerre ne va pas durer !

– J'espère que tu dis vrai.

Lucie monte dans sa chambre. Elle est au bord
de la crise de nerfs. Elle arrache une page de
son cahier de cours et, comme lorsqu'elle était
adolescente et qu'elle tenait consciencieu-
sement son journal, elle griffonne quelques
lignes : "Aujourd'hui je connais la haine, la
vraie et je jure que les choses se paieront." Puis
elle se ravise et biffe ce qu'elle vient d'écrire,
prend un briquet et brûle le papier. Ses pensées
l'entraînent loin, très loin... Elle réussit bien à
l'école et se destine, en toute logique, à devenir
institutrice. Ses parents le souhaitent. Elle, à la
dernière minute, refuse l'uniforme et l'internat. Elle est jeune. Elle veut vivre ! Qu'à cela ne
tienne. Ses parents la mettent dehors. Elle s'installe à Paris et gagne sa vie en faisant la plonge
dans les restaurants. Elle passe son bac, entre

à l'École normale, réussit l'agrégation. "Jamais personne, dans ma vie, ne m'a ordonné de me taire ou de me soumettre. Je ne laisserai pas Raymond entre les mains des tortionnaires."

Le petit garçon se réveille de sa sieste.

– Et papa ?

– Il est en voyage, mon trésor. Il reviendra bientôt. Lucie ne peut contenir ses larmes. Elle est affaiblie. Il est urgent d'éloigner Boubou, son bébé d'amour, son trésor : la situation est devenue trop dangereuse pour lui.

Réunion chez Maurice des camarades du groupe franc. Il faut les sortir de là. Attaquer la prison ? Trop risqué. Lucie a une idée : elle ira voir Klaus Barbie, le chef de la police allemande à Lyon. Mais pour l'instant, elle n'en parle à personne... sauf à Pierre-des-faux-papiers et à son amie Claire.

Ce soir-là, Claire est près d'elle. C'est l'heure de la BBC. C'est Grenier, un député communiste évadé du camp de Chateaubriand, qui parle. "C'est le 1095ᵉ jour que Paris est occupé", dit Grenier. Il évoque la ville affamée, ligotée, les prisons pleines de patriotes, le vélodrome près de la tour Eiffel où l'on rassemble les Juifs raflés dans la journée. Il dit : "On y entend les pleurs des mères auxquelles on arrache les enfants pour les envoyer, sans aucune marque d'identité, dans les asiles de rééducation du Reich maudit." Un frisson parcourt le corps de Lucie, de la tête aux pieds. Elle a froid. Elle est glacée. Elle imagine son Boubou, oubliant son nom, ses parents, et élevé dans l'univers glacé. Brrr ! Cette maison est aussi froide qu'une grotte. Mais non, ce n'est pas possible. Nous sommes en juin ! Avec Claire, ensemble, elles choisissent une identité pour se rendre auprès de Barbie.

Lucie Aubrac n'existe plus. Elle est désormais Ghislaine de Barbentane. Ce nom, elle l'a choisi en souvenir de la comtesse de Barbentane.

Jusqu'en 1923, la famille, ses parents, sa petite sœur, vivait au château du Plessis, chez cette comtesse. Le père de Lucie était jardinier, sa mère laitière. Un véritable asservissement. En échange de leur travail, la famille ne touchait qu'une partie de la récolte, le restant revenant à la propriétaire.

De ces années au château, Lucie garde le souvenir d'avoir beaucoup travaillé (elle accompagnait sa mère pour chercher du bois dans la forêt) et le goût amer de l'humiliation. Elle avait dix ans. La comtesse avait un perroquet. Un jour, il s'était échappé et la dame offrait 5 francs à celui qui le retrouverait. C'était beaucoup, 5 francs, à cette époque ! Le père de Lucie avait retrouvé l'animal et l'avait donné à sa fille. Ce serait donc elle qui toucherait la récompense. Mais voilà, un perroquet, ça mord. Lucie se revoit saignant... tout en tenant bon. Le sang coule de sa main. Presque naturelle et contrôlant sa douleur, elle fait, comme d'habitude, la révérence en entrant dans le salon. S'approche de la comtesse et se fait... réprimander ! "Sale petite peste ! Tu as mis du sang partout, va-t'en !" Elle ne touche pas les sous. Alors voilà, elle s'appellera comme la comtesse. De toute façon, il n'y a pas de risque : ils sont partis vivre au Maroc. Elle l'a, sa revanche, en usurpant l'identité de l'odieuse femme. De la vieille peau !

La métamorphose commence. Les cheveux, d'abord : d'une couleur rousse flamboyante. Après, le visage : le maquillage est discret, un léger bleu sur les paupières, un blush vieux rose sur les joues. Les bijoux, ensuite : des boucles d'oreilles brillantes, discrètes mais élégantes. La tenue, enfin : robe bien coupée, chapeau, talons compensés.

C'est donc Ghislaine de Barbentane qui, deux jours après l'arrestation de Caluire, monte les marches de l'École de la santé, avenue Berthelot, où s'est installée la Gestapo. Et, tout aussi culottée, entre dans le bureau de Klaus Barbie.

– Que voulez-vous ?

Il est le chef des services de la police allemande. Petit, insignifiant, c'est donc cet homme-là qui fait peur à tout le monde ?

– J'ai retrouvé la trace de mon fiancé. Il avait rendez-vous chez un médecin, il était souffrant. Je suis inquiète. On m'a dit qu'il était en prison. Je vous demande de le relâcher vite, sa santé est fragile.

– Comment s'appelle-t-il ?

– Claude Ermelin.

– Depuis quand le connaissez-vous ?

– Un mois.

– Allez-vous-en, mademoiselle. Cet homme est un terroriste. Il ne s'appelle pas Ermelin, mais Vallet. Il n'est pas question de le relâcher.

Elle pleure et ce n'est pas pour de faux ! Elle pense que ses jambes vont la lâcher, là, au beau milieu de l'escalier. Elle court chez son cousin Maurice. Et s'effondre.

Cela fait maintenant deux mois que Raymond a été attrapé par la Gestapo.

Cette nuit, Claire est venue à la maison pour écouter la radio et bavarder un peu. Lucie a besoin de parler, parler. Depuis l'arrestation de Raymond, elle doit limiter les rencontres avec les camarades du mouvement. On ne sait jamais, elle pourrait être suivie. Mais elle a besoin de se confier. Elle n'en peut plus d'attendre.

Elle lui raconte le retour de son père... sept longues années après son départ sur le front, en 1914. À la fin de la guerre, il avait été annoncé mort. Sa sœur Jeanne et elle déclarées pupilles de la Nation. La mère avait été obligée de se placer comme domestique pour gagner sa vie. Les filles, Lucie et sa sœur, vivaient chez la grand-mère.

– Et un jour, alors que j'avais neuf ans, ce père réapparaît ! Ma mère l'avait retrouvé. Après la guerre, il avait été interné dans un asile. Pour ma sœur et moi, c'était un inconnu. On ne savait pas qui était ce monsieur. En plus, il était devenu amnésique. Ce fut un cauchemar. Pour rien au monde, je ne veux que mon petit garçon vive ce que j'ai vécu.

– La guerre est cruelle.

– Lorsque j'étais étudiante en Allemagne, j'ai vu défiler les étudiants pacifistes. Il y avait un grand mouvement contre la guerre. J'étais avec eux. Tu ne peux pas imaginer comme je me sentais proche d'eux et de leur lutte.

– Nous aurons leur peau, la liberté l'emportera sur la barbarie !

Elle ne se consacre désormais qu'à la préparation de l'évasion.

Elle a un plan. Elle se fera passer pour une demoiselle de bonne famille, fille de militaires, enceinte de Claude Ermelin.

Elle demandera, en corrompant un colonel allemand, une confrontation avec Raymond et un mariage *in extremis*.

Elle explique au colonel qu'elle ne peut pas être fille-mère, il y va de son honneur et de celui de sa famille !

– Il existe une possibilité offerte aux hommes sur le point d'être exécutés de se marier, juste avant de mourir, supplie-t-elle.

– Mais cet homme ne voudra jamais, répond-il.

– Alors organisez une confrontation et nous verrons bien !

– Affirmatif !

Le colonel accepte.

Le plan de Lucie se précise. Ce sera lors du transfert entre l'École de la santé, quartier général de la Gestapo, et la prison, qu'aura lieu l'enlèvement.

Ce matin, à l'aube, Lucie est en mission de repérage. À la gare de Saint-Rambert, à quelques kilomètres de Vaise, elle vérifie que Raymond n'est pas emmené ailleurs, en train. En ce moment, c'est dans cette gare que se font les transferts des prisonniers. Des copains cheminots les tiennent au courant du moindre mouvement. Un convoi arrive. Un groupe d'une trentaine de Juifs doit monter dans un train. Parmi eux, elle reconnaît une ancienne élève, son bébé dans les bras. Un *Feldwebel*[8] lui donne un terrible coup de pied et le bébé tombe brutalement à terre.

La rencontre avec Raymond a lieu à l'École de la santé. Il est debout devant elle, sans menottes, pâle, pas rasé. Il est en prison depuis trois mois.
– Je ne connais pas cette personne.
– Vous voyez bien, madame, que ces vauriens n'ont aucune parole !
Lucie essaie d'expliquer à Raymond qu'il va devoir sauter dans une voiture mais il ne comprend pas tout de suite. Quand il "percute", il accepte le mariage... avant son exécution, *in extremis*.

---

8. *Feldwebel* : Adjudant de la Wehrmacht, l'armée allemande.

Le rendez-vous pour signer le contrat de mariage est prévu une semaine plus tard. C'est la plus longue semaine de sa vie. Avec les gars du groupe franc, elle met au point l'attaque de la fourgonnette.

Le jour J arrive. Après la signature du contrat de mariage, Lucie court se changer chez Maurice. Elle est tranquille car rien n'a été laissé au hasard. Les armes ont été vérifiées. Le trajet est sûr : il est le même depuis plusieurs semaines. Les gars du groupe franc sont reposés, entraînés, en forme.

Les trois tractions noires sont prêtes. Elles ressemblent à celles des Allemands : même couleur, même plaque d'immatriculation, mêmes vignettes sur le pare-brise. Lucie s'installe sur la banquette arrière d'une des voitures. Il est 17 h 30.

Le chauffeur démarre et suit la fourgonnette. En arrivant au boulevard des Hirondelles, elle fait signe aux gars. À la hauteur de la cabine de la camionnette, Daniel se sert de la mitraillette équipée du silencieux et tire sur le chauffeur. Le camion s'arrête sur le bas-côté. Une fusillade éclate. Tous les Allemands sont tués. Dans le cafouillage, une balle touche Raymond à la joue et un autre camarade s'en prend une dans la bouche. Vite, Lucie donne le signal du départ. Les trois tractions prennent des chemins séparés. Raymond est libre, ainsi que treize autres résistants.

Identifié et recherché par toutes les polices allemandes et vichystes, le couple va de planque en refuge, accompagné de son fils Jean-Pierre, alias Boubou.

– Maréchal, couché !
Ce n'est pas le vieux maréchal Pétain que Louise appelle. C'est le plus vieux chien de la maison. Louise, c'est l'aînée des trois sœurs qui accueillent Lucie, Raymond et Boubou, ce 8 décembre. Leur château est niché dans un

immense parc un peu décati, à Villevieux, dans le Jura. Les trois sœurs y vivent. Leur père a été tué à la guerre de 14, ainsi que leur frère et le mari de Louise, l'aînée.

Farouchement antivichystes, elles ont baptisé leur plus vieux chien "Maréchal".

– Tais-toi, Maréchal ! entend-on parfois.

Un jour, un responsable local de la Résistance a besoin d'un lieu pour cacher des armes, en transit dans la région. Il leur demande un "petit service" – de taille tout de même ! On risque la peine de mort pour détention d'armes.

– Enfin ! dirent-elles, on se demandait quand vous viendriez !

Depuis, le vieux château sert de planque, de relais entre les départs et les arrivées d'Angleterre.

Le 8 février 1944, après plus de trois longs mois d'attente, Lucie, Raymond et Boubou décollent pour Londres, depuis un coin perdu du Jura, par une nuit de pleine lune. Ils viennent d'entendre sur les ondes de la BBC le vers de Baudelaire : "Ils partiront dans l'ivresse." Ce vers donne le signal de départ de leur grande évasion. L'avion s'enlise, mais des paysans aidés de bœufs sortent l'appareil de la boue. Les voilà envolés ! Quatre jours après, à Londres, naît leur fille. Son prénom ? Catherine : l'un des pseudonymes de Lucie pendant la Résistance.

EUX AUSSI, ILS ONT DIT NON

NON AU NAZISME, ENCORE ET TOUJOURS

Le nazisme n'est plus au pouvoir dans aucun État au monde, mais ses émules sont encore nombreux. Le monstre mis en place par Hitler a été vaincu, mais les racines du mal sont encore là et ses résurgences autour de la planète sont multiples. Les idées, la philosophie, les principes du nazisme sont sans cesse remis au goût du jour par des groupes néonazis de plus en plus nombreux qui, sournoisement et discrètement, font passer leurs messages de haine, de fascination de la destruction, dans un bain de symboles nazis, prônant ouvertement le rejet de ceux qui sont différents et de tout ce qui assoit la démocratie.

Des États-Unis à la Suède, en passant par la France, un nombre impressionnant de groupuscules néonazis véhiculent des images de haine et de violence. Ils recrutent par la musique, *via* Internet, où les jeunes ont accès aux sites les plus racistes du monde. On peut y écouter des chants nazis. Les *svastikas* (croix gammées) sont partout. On est écœuré devant les images des camps d'extermination avec des sous-titres macabres et criminels. Le tout accompagné de commentaires qui n'auraient pas déplu aux théoriciens de la Shoah[1].

Le réalisateur suisse Daniel Schweizer, déjà auteur de documentaires sur les skinheads, a suivi pendant cinq ans plusieurs groupuscules néonazis partisans du *"White power"* et de la "guerre sainte raciale".

Dans son dernier film, *White terror*[2], il montre la complexité et la montée en puissance des groupes d'extrême droite néonazie en Russie, aux États-Unis et en Suède. Les images et les informations qu'il nous propose sont édifiantes. Elles font froid dans le dos.

Dans certains États comme le Texas, des policiers encadrent une manifestation d'extrême droite qui appelle, à l'aide de mégaphones, à nettoyer le pays des Noirs et autres "vermines" !

La propagande de ces groupes circule essentiellement sur Internet et *via* des cassettes vidéo... vendues sur le Net. Leurs messages sont clairs, sans détour : si l'on ne fait rien, la race blanche est fatalement menacée d'extinction par le métissage, les Noirs et les Juifs.

"Ce message de haine trouve de plus en plus d'échos, explique Daniel Schweizer, le réalisateur. Aujourd'hui,

1. Shoah : Mot hébreu désignant l'organisation systématique par le régime nazi et ses collaborateurs de la persécution et de l'extermination de 6 millions de Juifs.
2. Diffusé le 26 mars 2007 sur Arte et visible à l'Ina THÈQUE.

faire le salut nazi, hurler *Sieg Heil* et prôner la supériorité aryenne, ça semble irréel, mais ça existe bel et bien !"

La minutieuse enquête du documentariste démarre avec les suites données par la justice au meurtre, en Suède, d'un jeune de dix-neuf ans qui voulait briser la loi du silence entourant "l'ordre des chevaliers aryens", un groupuscule nazi.

Plus loin, on est littéralement estomaqué par l'interview de Jasa, figure éminente du mouvement raciste *"Blood and Honour"*. Le producteur du groupe de musique *Kriegsberichter* explique, face à la caméra, sans se cacher : "On allie la musique et la politique." Le groupe chante la suprématie de la race blanche et les vidéos prônent ouvertement l'amour pour Hitler et le nazisme.

Que fait la justice ? La Suède est un pays relativement laxiste face à ces groupes extrémistes. Par exemple, tous les ans, en décembre, à Salem, une ville du nord du pays, les groupes néonazis du monde entier se réunissent. Ils fêtent leur rencontre à coups de concerts de groupes racistes, de conférences, de colloques et de soirées bien arrosées ! "Nous sommes dans une amnésie totale de l'histoire, poursuit le réalisateur Daniel Schweizer. Aujourd'hui, leur combat n'est plus un combat national-socialiste[3] de pacotille, mais ils

3. National-socialisme : Idéologie politique exposée par Hitler dans *Mein Kampf*. Raciste et antisémite, elle est fondée sur le principe de la supériorité de la race aryenne.

sont vraiment dans la guerre raciale. Ce qui fédère les néonazis français, serbes, russes, c'est le message qui dit : « Nous sommes blancs et nous sommes menacés ! Notre combat est celui de la défense de la race blanche. »"

Dans ce documentaire, on voit encore des groupes du Ku Klux Klan américain venus s'installer en Russie... pour les soutenir et les encourager. Le message de terreur ? La grande Russie blanche est l'avenir de l'homme blanc. Les spécialistes dénombrent dans ce pays pas moins de 50 000 skinheads néonazis. Ils ne s'y sentent pas du tout menacés. Leurs principales cibles ? Les jeunes à partir de treize, quatorze ans, facilement attirés par les concerts hard rock tendance métal où l'alcool enflamme le discours raciste. Ça commence sur le mode de la provocation. Dix ans plus tard, on les retrouve soldats de la haine...

Plus récemment, les résultats des élections européennes de mai 2014 font froid dans le dos. En Allemagne, le parti neo-nazi allemand, NPD, a obtenu un siège au Parlement européen. Et en Grèce, le parti néo-nazi Aube dorée a fait son entrée au Parlement en 2012 avec 21 députés.

Pourquoi en sommes-nous encore là, plus de soixante-dix ans après la Seconde Guerre mondiale ? Ce n'est pourtant pas faute d'avoir tenté de chercher les anciens nazis, de les avoir chassés et d'en avoir jugé un certain nombre.

En 1945, les nazis, acculés, avaient deux solutions : le suicide ou la fuite. Les plus fanatiques comme Hitler et Goebbels ont mis fin à leurs jours. Et les autres ? Ils se sont cachés, en espérant échapper à la justice.

En Europe, le procès de Nuremberg est davantage un procès symbolique. Mais en la matière, les symboles comptent. Le 18 octobre 1945, le tribunal militaire international tient sa séance inaugurale à Berlin. Un mois plus tard, le procès s'ouvre, dans la ville de Nuremberg. Vingt-quatre criminels allemands, maîtres de la machine de guerre nazie, responsables politiques, militaires ou économiques sont traduits en justice. L'acte d'accusation repose sur quatre points : conjuration, crimes contre la paix, crimes de guerre et crimes contre l'humanité. Le verdict tombe le 1er octobre 1946. Douze accusés sont condamnés à mort, trois à la prison à vie, quatre à des peines de prison allant de dix à vingt ans et deux sont acquittés. Douze autres procès seront intentés contre 177 personnes devant des tribunaux militaires américains. Des médecins, des hommes d'affaires, des juristes, des militaires seront jugés et condamnés entre 1946 et 1949. Mais les nazis ne restent pas impassibles. Ils montent une organisation secrète, baptisée *ODESSA, Organisation der ehemaligen SS-Angehörigen*[4]. Leur objectif ? Secourir

---

4. Organisation des anciens membres de la SCHUTZSTAFFEL, l'armée SS.

les anciens membres de l'armée SS et, pourquoi pas, poursuivre le travail d'Hitler et établir un IVᵉ Reich.

Les fuyards se réfugient d'abord en Bavière, puis transitent par l'Italie et l'Espagne. Enfin ils partent pour l'Amérique latine, en sous-marin ou par bateau.

Peu à peu, les cercles nazis se reconstituent sur le continent latino-américain. Les grands chefs sont en sécurité dans ces pays, pour la plupart non soumis aux lois d'extradition[5]. Et ils se remettent à conspirer...

Certains d'entre eux s'engagent, plus ou moins discrètement, auprès de *caudillos*[6] latino-américains, notamment au Brésil, en Argentine, en Bolivie, au Chili. D'autres se coulent dans le moule, changeant d'identité, d'apparence physique, et s'investissant dans l'économie locale, parfois dans des entreprises d'armement.

L'effort de justice des Alliés a été relativement efficace après la guerre. Mais la guerre froide[7] freine tout. "La guerre froide a été le meilleur allié des criminels nazis, explique Serge Klarsfeld, grand chasseur de nazis établi

---

5. Extradition : Remise par un État d'une personne qui se trouve sur son territoire à un autre État qui la recherche, pour la juger ou pour lui faire subir la condamnation que ses tribunaux ont déjà prononcée.

6. *Caudillo* : Mot espagnol pour dictateur militaire.

7. Guerre froide : Période (1947-1991) d'affrontements stratégiques et politiques entre les États-Unis et ses alliés d'un bord et l'URSS et les pays communistes de l'autre. On qualifie de "froide" cette guerre qui n'était qu'idéologique (course aux armements, compétition technologique dans le domaine de l'espace, menaces nucléaires, etc.).

en France. Du côté occidental on ne voulait pas mécontenter les Allemands de l'Ouest, en première ligne face au bloc soviétique. Pour ces raisons d'ordre géopolitique, les nazis ont eu une dizaine d'années de tranquillité, jusqu'à la fin des années 1950."

Ce sont donc des chasseurs de nazis "indépendants" qui ont pris le taureau par les cornes. Simon Wiesenthal était un survivant des camps de la mort. "Lorsque l'histoire regardera en arrière, je veux que les gens sachent que les nazis n'ont pas été capables de tuer des millions de personnes et de s'en tirer", disait-il. Il a fondé le Centre de documentation juif de Vienne, puis le centre qui porte son nom. Il ne traquait pas lui-même directement les nazis. Sa principale tâche était de recueillir et d'analyser les informations. Lorsque le centre avait rassemblé le maximum de données, il en faisait part à la justice. Lorsque les tribunaux n'agissaient pas, il exerçait une forte pression médiatique.

Simon Wiesenthal a fait arrêter, avec la coopération des gouvernements allemands, israéliens, autrichiens ou autres, plus d'un millier de criminels nazis. Ses plus grosses proies sont Adolf Eichmann, l'un des responsables de la solution finale[8], Franz Murer, celui qu'on appelait "le boucher de Wilno", Erich Rajakowitsch, le responsable des trains de

8. Solution finale : Politique d'extermination des Juifs par gazage. Des camps ont été créés pour cela. Le plus célèbre est Auschwitz.

la mort en Hollande, et Karl Silberbauer, le dirigeant de la Gestapo qui a fait arrêter Anne Frank. Simon Wiesenthal est décédé en décembre 2005.

Mais revenons à Serge Klarsfeld. Nous sommes à Nice, le 30 septembre 1943. Les Allemands arrivent chez les Klarsfeld. Serge se souvient : "Mon père nous a dit : « C'est la rafle. » On s'est mis dans la cachette et il est sorti." Depuis que les Allemands occupent le sud-est de la France, les parents Klarsfeld ont pris leurs précautions : un placard à double fond permet à Serge, à sa sœur et à sa mère de se cacher. Ils voient partir le père. Il ne reviendra pas d'Auschwitz. Des années plus tard, lors d'un voyage dans le camp, Serge sent soudain poindre chez lui "une responsabilité à l'égard de ceux qui sont morts". Dès lors, une nouvelle vie de chasseur de nazis commence pour lui et sa femme Beate. Ils ne cesseront d'œuvrer pour la vérité, la mémoire, la justice.

En 1966, ils révèlent le passé nazi de Kurt Georg Kiesinger, leader de la CDU (démocratie chrétienne), devenu chancelier allemand. En 1970, ils organisent une tentative d'enlèvement de Kurt Lischka, ancien responsable de la police nazie en région parisienne. Cette mise en scène aboutira à un accord judiciaire franco-allemand, en 1977. Grâce à celui-ci, trois anciens hauts responsables nazis sont jugés : le fameux Kurt Lischka, Herbert Hagen et Ernst Heinrichsohn. Ces anciens dignitaires du régime nazi seront condamnés respectivement à douze, dix et six ans de prison.

Au milieu des années 1970, Beate et Serge Klarsfeld découvrent Klaus Barbie, alors caché en Bolivie. Celui qu'on appelait "le boucher de Lyon" est transporté en France et jugé par la cour d'assises du Rhône, en 1987, dans la ville même où il a sévi. Il sera condamné à la prison à vie pour crime contre l'humanité. Accusé de tortures, d'exécutions et de déportations, l'ancien chef de la Gestapo, exécuteur de Jean Moulin, aura échappé aux autorités françaises pendant plusieurs décennies. Il mourra à Lyon en 1991.

Mais ce n'est pas tout. Les époux Klarsfeld ont aussi réussi à faire inculper Jean Leguay, Paul Touvier, René Bousquet, Maurice Papon, tous anciens chefs de la police française ayant étroitement travaillé avec les nazis. Lors de la découverte de Klaus Barbie, en Bolivie, Lucie et Raymond Aubrac sont en Italie. Partis travailler là-bas, ils comprennent qu'ils doivent s'engager à nouveau, pour témoigner cette fois. C'est d'ailleurs Raymond qui identifie formellement Barbie, permettant ainsi l'ouverture du dossier. Et c'est en 1983, lorsque l'*Obersturmführer*, chef de la Gestapo, est ramené en France, que les médias redécouvrent l'affaire de Caluire et l'arrestation de Jean Moulin.

Les époux Aubrac témoignent. Lucie parcourt des milliers de kilomètres à travers la France et raconte l'Occupation et la Résistance aux collégiens et lycéens. Mais pour elle, le combat ne se limite pas à la seule période de 1939-1945. "La Résistance est un fait constant, une réaction intellectuelle et affective aux entraves à la liberté humaine", explique-t-elle alors dans le cadre du Centre de documentation pédagogique. Engagée dans ce devoir de mémoire, elle publie elle-même de nombreux livres et rédige la préface de plusieurs autres ayant trait à la Résistance. Lucie Aubrac décède en mars 2007 à Paris.

La chasse aux derniers criminels nazis continue ! En 2006, le centre Simon-Wiesenthal lance l'opération *"The last chance"*, l'opération de la dernière chance pour mettre la main sur les derniers criminels nazis encore vivants et en liberté. Ils seraient encore un millier à n'avoir rendu de comptes à personne. Une prime de 10000 euros a même été offerte pour toute information pouvant conduire à leur arrestation ! Le plus célèbre de ces fugitifs, Aloïs Brunner, se serait réfugié pendant de nombreuses années en Syrie. Né en 1912, il est peu probable qu'il soit encore en vie.
Cet ancien capitaine SS, commandant du camp de Drancy, a été aperçu pour la dernière fois en 1992 à Damas, avant de disparaître complètement.
Un autre nazi, Albert Heim, ancien médecin du camp de concentration de Mathausen, en Autriche, ne cesse de narguer les polices européennes. Et la liste n'est pas finie. On sait par exemple que trois autres anciens nazis vivent au grand jour en Hongrie, en Autriche et en Argentine.

Ce sont désormais des vieillards... qui essaient de faire oublier leurs crimes. Mais les chances de les arrêter un jour s'amenuisent. Ils sont rattrapés par le temps et la vieillesse... à défaut de l'être par la justice des hommes. Les nostalgiques d'Hitler sortent de plus en plus de l'ombre. Ils organisent des rassemblements. Aux États-Unis par exemple, en août 2017, une importante manifestation dans la ville de Charlottesville, dans le sud du pays, a rassemblé l'extrême-droite américaine, des néo-nazis et des membres du Ku Klux Klan. Un des membres de ces mouvances racistes a foncé dans une foule d'opposants, et a tué l'un d'entre eux.

En Suède, les fascistes en chemises blanches et cravates noires du Mouvement de résistance nordique (NMR) défilent sans être inquiétés. En Pologne, en avril 2017, les phalanges du Camp national-radical, groupuscule interdit, ont paradé par centaines dans le centre de Varsovie, en chemises brunes et brassards verts...

POUR ALLER PLUS LOIN

À lire :

• Lucie Aubrac, *La Résistance expliquée à mes petits-enfants* (éditions du Seuil, 2000).

• Lucie Aubrac, *Ils partiront dans l'ivresse* (éditions Points Seuil, 2004).

• Lucie Aubrac, *Cette exigeante liberté, entretiens avec Corinne Bouchoux* (éditions de l'Archipel, 1997).

• Lucie Aubrac, *La Résistance* (éditions Robert Long, 1945).

• Raymond Aubrac, *Où la mémoire s'attarde* (éditions Poches Odile Jacob, 2000).

• François Delpla, *Aubrac, les faits et la calomnie* (éditions Le Temps des cerises, 1997).

• Laurent Douzou, *La Désobéissance. Histoire du mouvement Libération-sud* (éditions Odile Jacob, 1995).

• Ania Francos, *Il était des femmes dans la Résistance* (éditions Stock, 1978).

À voir :

• *Lucie Aubrac*, écrit et réalisé par Claude Berri, avec Carole Bouquet et Daniel Auteuil, Renn production, 1997.

• *White terror*, scénario et mise en scène de Daniel Schweizer, Production Dschoint Ventschr (56 route d'Annecy, Ch-1256- TROINEX-Genève - Suisse), 2005, film documentaire, 90 min.

• *Entretien avec Lucie Aubrac*, Ville de Lyon, Centre d'histoire de la Résistance et de la déportation, 1998, film documentaire, 210 min.
Merci à Chantal Jorro du Centre, pour son aide précieuse.

À consulter :

• nopasaran.samizdat.net : réseau antifasciste.
• www.fondationresistance.com

À visiter :

• Un musée pour la paix : le Mémorial de Caen.

CHRONOLOGIE

- **29 juin 1912** : Naissance de Lucie Bernard à Mâcon, dans une famille de modestes paysans.

- **1936** : Elle se rend à Berlin aux Jeux olympiques et découvre la réalité du nazisme.

- **1938** : Elle est reçue à l'agrégation d'histoire et géographie.

- **1939** : Lucie se marie avec Raymond Aubrac. Ils feront partie des fondateurs du mouvement de résistance Libération en zone sud.

- **Juin 1940** : Raymond est fait prisonnier par l'armée allemande. Elle l'aide à s'évader.

- **1941** : Le couple s'installe à Lyon. Lucie s'adonne à de multiples activités clandestines. Elle devient spécialiste des évasions.

- **15 mars 1943** : Raymond, adjoint au général Delestraint, chef de l'Armée secrète, est arrêté à Lyon et incarcéré. Lucie parvient à le faire libérer.

• **21 juin 1943 :** Jean Moulin et plusieurs responsables de la Résistance, dont Raymond, sont arrêtés. Incarcérés au fort Montluc, ils sont interrogés par Klaus Barbie.

• **21 octobre 1943 :** À la tête d'un groupe franc, Lucie, alias Catherine, mène l'attaque de la camionnette de la Gestapo dans laquelle sont transférés Raymond et d'autres résistants. Ils s'évadent.

• **8 février 1944 :** Le couple et leur petit garçon s'envolent pour Londres. Quatre jours plus tard, Lucie accouche d'une fille qu'elle prénomme Catherine.

• **Février 1944 :** Ils quittent clandestinement la France par avion avant de revenir participer à la Libération quelques mois plus tard. Raymond est nommé Commissaire régional de la République à Marseille, Lucie met en place des Comités de Libération dans les zones libérées.
Lucie siège à Paris à l'Assemblée consultative provisoire, puis reprend son métier de professeur d'histoire. À la retraite, elle devient une militante de la mémoire.

• **14 mars 2007 :** Lucie décède à Paris.

DU MÊME AUTEUR

• *La Colonie du Docteur Schaefer, une secte nazie au pays de Pinochet*, avec Frédéric Ploquin, essai (Fayard, 2004).

• *Sauvons la maternelle !*, avec Thérèse Boisdon, essai (Bayard, 2009).

• *Simone Veil, Non aux avortements clandestins*, roman (Actes Sud junior, coll. "Ceux qui ont dit non", 2009, 2014).

• *Comment mettre mon ado au travail*, essai (L'Étudiant, 2010).

• *Non à l'individualisme*, collectif, nouvelles (Actes Sud junior, 2011).

• *Cannabis : comment aider mon ado à s'en sortir*, essai (L'Étudiant, 2011).

• *Non à l'indifférence*, collectif, nouvelles (Actes Sud junior, 2013).

• *Non à l'intolérance*, collectif, nouvelles (Actes Sud junior, 2015).

• *Femmes hors-la-loi*, avec Frédéric Ploquin, essai (Fayard, 2016).

- *Isabel Allende, la voix des femmes*, ill. Karina Cocq, biographie (À Dos d'Âne, 2017).

- *Le guide psycho pour une scolarité réussie*, essai (L'Étudiant, 2017).

DERNIERS PARUS DANS LA MÊME COLLECTION

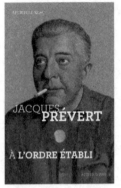

Jacques Prévert : "Non à l'ordre établi"
Murielle Szac

Qui n'a pas appris à l'école un poème
de Jacques Prévert ? Si tous les enfants
connaissent la *Chanson des escargots qui
vont à l'enterrement* (d'une feuille morte),
celle du bonhomme de neige qui galope
dans la nuit de l'hiver ou bien celle
du cancre qui s'évade de la salle de classe
en rêvant avec l'oiseau-lyre, qui connaît
le vrai visage du poète ? Celui d'un homme
qui fut toute sa vie un révolté, insoumis
à toute forme de règles. Un pur anar,
viscéralement antimilitariste, anticlérical
et anticonformiste.

Angela Davis : "Non à l'oppression"
Elsa Solal

Elle est le symbole mondial de la révolte
des Noirs, des femmes et de tous les
opprimés, mais lui l'ignore. Lui, qui est-il ?
Un jeune réfugié qu'Angela Davis a
rencontré à Calais, à qui elle va raconter
sa vie. Elle ne sait rien de lui, mais il va
tout savoir d'elle, au fil de lettres qu'elle lui
adresse, comme autant de mains tendues.
Son enfance dans la violence raciste,
son engagement militant aux côtés
de tous les exclus, la traque dont elle a été
victime, accusée d'un meurtre qu'elle n'a
pas commis, l'humiliation de la prison, son
procès et l'indignation internationale qui
la consacre leader des révoltés... Elsa Solal
emboîte avec passion chaque morceau
du puzzle de cette vie militante pour faire
découvrir cette grande figure insoumise.

Harvey Milk :
"Non à l'homophobie"
(nouvelle édition)
Safia Amor

Gabriel Mouesca :
"Non à la violence carcérale"
Caroline Glorion

Rosa Parks :
"Non à la discrimination raciale"
(nouvelle édition)
Nimrod

Leonard Peltier :
"Non au massacre
du peuple indien"
(nouvelle édition)
Elsa Solal

Anna Politkovskaïa :
"Non à la peur"
(nouvelle édition)
Dominique Conil

Victor Schoelcher :
"Non à l'esclavage"
(nouvelle édition)
Gérard Dhôtel

Sophie Scholl :
"Non à la lâcheté"
(nouvelle édition)
Jean-Claude Mourlevat

Simone Veil :
"Non aux avortements
clandestins"
(nouvelle édition)
Maria Poblete

Joseph Wresinski :
"Non à la misère"
(nouvelle édition)
Caroline Glorion

Émile Zola :
"Non à l'erreur judicaire"
(nouvelle édition)
Murielle Szac

Non à l'indifférence (nouvelles)
Gérard Dhôtel, Jessie Magana,
Nimrod, Maria Poblete, Elsa Solal,
Murielle Szac

Non à l'individualisme (nouvelles)
Gérard Dhôtel, Bruno Doucey,
Nimrod, Maria Poblete, Elsa Solal,
Murielle Szac

Non à l'intolérance (nouvelles)
Gérard Dhôtel, Bruno Doucey,
Nimrod, Maria Poblete, Elsa Solal,
Murielle Szac

Reproduit et achevé d'imprimer en octobre 2017 par l'imprimerie
Normandie Roto Impression s.a.s. à Lonrai pour le compte des éditions
ACTES SUD, Le Méjan, Place Nina-Berberova, 13200 Arles.

Dépôt légal - 1ʳᵉ édition : septembre 2014 - N° d'impression : 1703940
(Imprimé en France)